Este libro pertenece a

Para Mallory Loehr
Editor y soñador

Puede consultar nuestro catálogo en
www.edicionesobelisco.com / www.picarona.net

ANIMALES PARA SOÑAR
Texto e ilustraciones de *Emily Winfield Martin*

I.ª edición: noviembre de 2015

Título original: *Dream Animals*

Traducción: *Oriana Bonet*
Maquetación: *Montse Martín*
Corrección: *M.ª Ángeles Olivera*

Edita: Picarona, sello infantil de Ediciones Obelisco, S. L.
Pere IV, 78 (Edif. Pedro IV) 3.ª planta, 5.ª puerta
08005 Barcelona - España
Tel. 93 309 85 25 - Fax 93 309 85 23
E-mail: picarona@picarona.net

ISBN: 978-84-16117-53-6
Depósito Legal: B-14.698-2015

Printed in India

Animales para soñar

Un viaje nocturno

Emily Winfield Martin

 Picarona

Existen animales desde hace
muchísimo tiempo.
Sus mapas se han hecho con la luz
de las estrellas y no se pueden
ver durante el día.

Estas criaturas son las encargadas
de llevar a los soñadores
allá donde quieran ir.
El Reino de los Sueños está
demasiado lejos para llegar
corriendo, y los piececitos
cargados de sueño son
demasiado lentos.

Sólo tienes que cerrar los ojos
y acurrucarte.

Esta noche te conducirán a tu sueño
en sus alas o sobre sus patas o entre sus aletas.

Quizás un oso te presente
a unos amigos especiales…

...y celebréis un festín en una curiosa mesa que no tiene fin.

¿O te agarrarás con fuerza al zorro rojo que se aleja saltando…

...hacia la cueva
de los elfos que se encuentra
oculta bajo tierra?

¿Los petirrojos harán carreras para llevaros a la copa de los arboles?

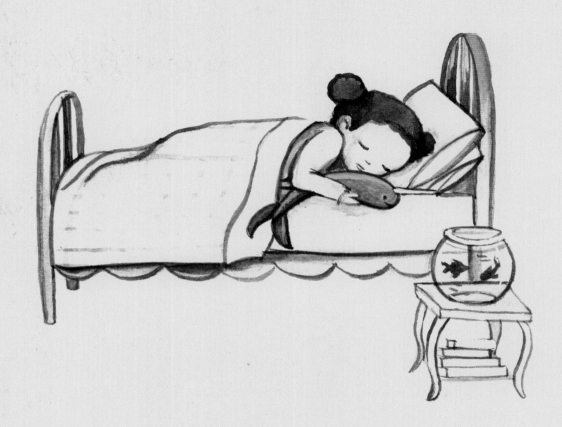

¿O un unicornio marino
se sumergirá contigo
para visitar los siete mares?

¿Un tigre te llevará a ver
un espectáculo maravilloso...

...con atrevidas hazañas en lo alto
y fieras salvajes en el suelo?

¿O navegarás a vela con las alas de una mariposa nocturna hacia los confines del cielo…

...para encontrarte con la mismísima luna
y las estrellas, que te estaban esperando,
precisamente a ti?

Cuando llega la noche, tus amigos
con pelo, con aletas, o con plumas
podrán conducirte a cualquiera de los sueños
que desees visitar.

¡Dulces sueños!